SO-CFL-819

SWEDEN
SVERIGE

COLOUR LIBRARY BOOKS

CLB 1964
© 1987 Colour Library Books Ltd, Guildford, Surrey, England.
Printed and bound in Barcelona, Spain by Cronion, S.A.
All rights reserved.
ISBN 0 86283 555 0

Generalisations abound about the Swedes and their homeland much as they do about any nation on earth. In truth, however, this is a country that defies the simple description, for it is a land that boasts in its towns, countryside and its people, a variety that is as rich as the nation's history is proud and long.

From the Baltic coastline of Skåne in the south to the northern reaches of Arctic Lapland, Sweden stretches almost 1,000 miles and enfolds within its borders an area of some 450,000 square miles, making it the fourth largest European nation.

For sheer dramatic effect the rugged highlands of Norrland are unsurpassed. Towering mountains, snow covered for much of the year, echo to the thunder of cascading rivers that rush southeastward to the Gulf of Bothnia. But there is more than mountains to the region, for here too are dense stands of timber, rich in native fauna, reflected in the ice-clear lakes that dot the land. Also found here are the nation's richest deposits of minerals, making it a region of prime economic importance.

Somewhat more gentle and hospitable is the central lowland region, which is characterised by its lakes and forests. On the west coast lies Gothenburg, the nation's second city, a major port and important manufacturing centre. Historic, elegant Stockholm shelters on the eastern coast, protected by its maze of reefs and treacherous channels. On the city's leeward side lies majestic Lake Malaren, providing the residents of the capital with superb recreational facilities.

Bleaker and more northern in its appearance is the region of Småland, whose rocky subsoil supports little in the way of agriculture, and the economy of this lakeland region has in the past relied heavily on timber. Glacier-smoothed granite hills, lakes, forests and peat bogs are typical of this relatively barren and sparsely populated land.

Skåne is to farming what Norrland is to Sweden's mining industry, for this is the breadbasket of the nation. Frequently considered somewhat Danish in character, the land produces rich yields of wheat and sugar beet as well as supporting thriving dairy farms and fruit orchards. Littered with castles, medieval churches and historic towns, this is the most densely populated region of a large, prosperous country that numbers less than nine million people.

Det finns lika många olika uppfattningar om svenskarna och deras land som det gör om andra länder på jorden. Faktum är emellertid, att detta är ett land som trotsar alla enkla beskrivningar, för detta är ett land som är lika omväxlande med alla sina städer, sitt landskap och sitt folk, som dess historia är lång och stolt.

Från Skåne i söder till Lappland längst i norr sträcker Sverige ut sig i nära 160 mil och omfattar en yta på närmare 450,000 kvadratkilometer, vilket gör Sverige till det fjärde största landet i Europa.

Det kuperade landskapet i Norrland trotsar alla beskrivningar med sina tvära dramatiska effekter. Mäktiga fjäll – snötäckta större delen av året, som återkastar dånet från älvarna som störtar i sydostlig riktning ner mot Bottenviken. Men det finns inte bara fjäll i denna landsända, här finns täta skogar med ett rikt djurliv som speglar sig i de klara sjöarna som ligger utspridda i landet. Här finns också landets största mineralfyndigheter, vilket gör det till en landsända av mycket stor ekonomisk betydelse.

Lite mera mjuka och gästvänliga är de centralare delarna med sina karaktäristiska skogar och sjöar. På västkusten ligger Göteborg – rikets andra stad, en betydande hamn och ett viktigt industriellt centrum. Det historiskt eleganta Stockholm ligger i lä på ostkusten, skyddat av virrvarret av skär och förrädiska farvatten. På stadens läsida ligger den majestätiska sjön Mälaren som erbjuder huvudstadens invånare förnämliga rekreationsmöjligheter.

Blekare och mer nordisk i sin framtoning är landskapet Småland, vars steniga jordgrund ger liten avkastning på jordbruket och ekonomin i detta landskap med alla sina sjöar har i det förflutna varit beroende av skogen. Släta granithällar, sjöar, skogar och torvmossar är typiska för denna relativt karga och sparsamt befolkade landsända.

Jorbruk är för Skåne vad gruvindustrin är för Norrland, för Skåne är landets skafferi. Ofta ansett för att vara lite danskt till karaktären, lämnar landskapet rikliga skördar av bland annat vete och sockerbetor, och här finns en lönande mejerinäring och frodiga fruktträdgårdar. Med sina många slott, medeltida kyrkor och historiska städer, är detta den mest tätbefolkade delen av ett stort välmående land med mindre än nio miljoner invånare.

Facing page: the Old Parliament House and the spire of Riddarholmen Church in Stockholm.

Motsatta sidan: Gamla riksdagshuset och spiran på Riddarholmskyrkan i Stockholm.

These pages: Stockholm, picturing (facing page) medieval buildings on Strandvägen overlooking boats moored on the Nybroviken, (top) Riddarholmen Church and the Old Parliament House on Riddarholmen, (right) fountains in Sergel Square, and (above) a view of the Old Town from Skeppsholm Bridge.

Detta uppslag: Stockholm, med bilder från (vänster) Strandvägen med sina medeltida hus som har utsikt över båtar som ligger förtöjda vid Nybroviken. Överst: Riddarholmskyrkan på Riddarholmen, (höger) fontänen vid Sergels Torg och (ovan) en bild från Gamla Stan sedd från Skeppsholmsbron.

Previous pages: Drottningholm Palace. Top: the Great Church, and (left) a cobbled street, in the Old Town, (above) the prow of a ship moored on South Mälarstrand, with the buildings on Riddarholmen beyond, and (facing page) Sergel Street in Stockholm's modern centre.

Föregående uppslag: Drottningholms slott. Överst: Storkyrkan och (vänster) en stenlagd gata i Gamla Stan, (ovan) stäven på ett fartyg förtöjt på Söder Mälarstrand med byggnader på Riddarholmen i bakgrunden. Nästa sida: Sergelgatan i Stockholms moderna centrum.

Top: fine hotels on Strandvägen, one of Stockholm's most fashionable boulevards, overlook the busy quay of Nybroviken (facing page bottom), and (left) the distinctive cast-iron spire of Riddarholmen Church rises above the buildings of the Old Town. Facing page top: the imposing baroque facade of the Great Church, on Slottsbacken. Dating from the mid-13th century, this is the oldest church in the city and has been the coronation place of most of Sweden's kings. Overleaf: (left) the sightseeing boat, *Blidosund*, and (right) Riddarholmen quay, which offers fine views of the beautiful houses perched on the cliffs of Southern Island.

Överst: Exklusiva hotell på Strandvägen, en av Stockholms elegantare esplanader, med utsikt över den livliga kajen vid Nybroviken (nästa sida nederst), och (vänster) den typiska gjutjärnsspiran på Riddarholmskyrkan som reser sig över husen i Gamla Stan. Överst nästa sida: Den ståtliga fasaden i barockstil på Storkyrkan vid Lejonbacken. Med anor från 1250-talet är detta den äldsta kyrkan i staden och den har varit kröningsplatsen för de flesta av Sveriges kungar. Nästa uppslag: Rundtursbåten Blidösund (vänster) och (höger) Riddarholmskajen som bjuder på fantastiska utsikter mot de vackra husen som klänger sig fast på Söders höjder.

Facing page: looking from Skeppsholmen towards
Strandvägen, (top) a bridge crossing the Norrström leading to
the fine buildings on Strömgatan, (above) Sergel Square,
and (right) beautiful St Jacob's Church, which dates from the
17th-century and overlooks Molin's Fountain.

Vänster: Utsikt från Skeppsholmen mot Strandvägen,
(överst) bron som korsar Norrström och leder fram mot de
vackra husen på Strömgatan, (ovan) Sergels Torg och
(höger) den vackra Jakobskyrkan, som stammar från 1600-
talet och med utsikt över Molins fontän

Facing page top: a view from Skeppsholm Bridge of the northern end of the Old Town, dominated by the magnificent Royal Palace on the right. Designed by the revered architect Nicodemus Tessin the Younger and completed in 1754, this was the world's largest royal home until the king and queen moved to Drottningholm. Facing page bottom: Djurgårds Bridge, which joins Strandvägen to the island of Djurgården. Right: medieval facades at Skeppsbron Quay in the Old Town, seen from a sightseeing boat flying the Swedish flag, and (above) colourful boats and barges moored along South Mälarstrand, on the Southern Island.

Överst till vänster: Utsikt från Skeppsholmsbron över norra delen av Gamla Stan som domineras av det magnifika Kungliga Slottet till höger. Slottet som ritades av den aktade arkitekten Nicodemus Tessin dy och färdigbyggdes år 1754, var världens största kungliga bostad till dess att kungen och drottningen flyttade ut till Drottningholm. Nederst till vänster: Djurgårdsbron som förenar Strandvägen med ön Djurgården. Till höger: Medeltida fasader på Skeppsbron i Gamla Stan, sett från en rundtursbåt med den svenska flaggan fladdrande, och (ovan) färggranna båtar och skutor som ligger förtöjda längs Söder Mälarstrand på Söder.

Previous pages: (left top) the famous castle and (right) the 17th-century cathedral at Kalmar, and (left bottom) the town of Gränna, which is situated on the shores of Lake Vättern (facing page top) and surrounded by lush farmland (above), all in the province of Småland. Facing page bottom: fields near Hästholmen on Lake Vättern, in the province of Östergötland.

Föregående uppslag: (överst vänster) det berömda slottet och (höger) domkyrkan från 1600-talet i Kalmar, och (nederst vänster) staden Gränna som är belägen på stranden av sjön Vättern (överst vänster) och omgiven av ett bördigt jordbrukslandskap (ovan), alla platserna i landskapet Småland. Nederst till vänster: Akermarker nära Hästholmen vid Vättern i landskapet Östergötland.

Left: the remarkable standing-stone circle at Kåseberga in the province of Skåne, (above) the 6,070-metre bridge, one the longest in Europe, that joins the island of Öland to the historic city of Kalmar in Småland, and (facing page) the Great Square of the attractive, 17th-century city of Karlskrona, in the province of Blekinge.

Till vänster: Den märkvärdiga skeppssättningen vid Kåseberga i Skåne, (ovan) den 6070 meter långa bron, en av Europas längsta, som förenar Öland med den historiska staden Kalmar i Småland, och (till höger) Stortorget i den trevliga 1600-tals staden Karlskrona i lanskapet Blekinge.

Although many of Skåne's coastal towns (these pages) have become popular tourist resorts, they are still characterised by a relaxed, seafaring lifestyle that brings to mind the Sweden of the past. Facing page: fishing boats and yachts moored (top) at the old fishing town of Viken, off the coastal road beween Kullen and Helsingborg, and (bottom) on the blue waters of the Öresund at the small village of Raa. This page: the harbour of Mölle, which is situated near the tip of the Kullen peninsula jutting into the Kattegat. Skåne is often called the "granary of Sweden" and from its fertile soil comes an abundance of crops, one of which is rape (overleaf). This beautiful, yellow-flowered plant is grown for the oil of its seeds or for its edible tap root.

Även om många av Skånes kustsamhällen (detta uppslag) har blivit populära turistorter, karaktäriseras de fortfarande av sjöfararnas avspända livsstil som påminner om det förflutna i svensk historia. Till vänster: fiskebåtar och segelbåtar förtöjda (överst) i det gamla fiskeläget Viken på kusten mellan Kullen och Helsingborg, pch (nederst) Öresunds blåa vatten vid det lilla samhället Råå. Ovan och till höger: Hamnen i Mölle, som är beläget nära spetsen på Kullen- halvön som skjuter ut i Kattegatt. Skåne kallas ofta för "Sveriges kornbod", och från dess bördiga jord växer en mängd olika grödor, bland annat raps (nästa uppslag). Denna vackra växt med sin gula blomma odlas för oljan i fröna och för sin ätbara rot.

Until 1658, Skåne belonged to the Danes, and it was they who built many of the castles, châteaux and manor houses that have given the province the name of "Château Country". The influence of Danish architecture can be seen in the attractive building (facing page) near Genarp, the village church (above) at Hagleholm and in Glimmengehus (right), near Simrishamn. One of the best-preserved examples of Swedish fortification, this fine castle dates from 1499 and was designed by Adam van Düren, who also worked on the cathedrals of Lund and Cologne.

Fram till år 1658, tillhörde Skåne Danmark, och det var danskarna som byggde många av de slott och herresäten som har givit lanskapet namnet "Slottslandet". Påverkan av den danska arkitekturen kan ses i den trevliga gården (till vänster) nära Genarp, bykyrkan (ovan) vid Hägleholm och i Glimmingehus (till höger) nära Simrishamn. Detta ståtliga slott från år 1499 är ett av de bäst bevarade exemplen på svenska försvarsbyggnader och ritades av Adam van Düren som också arbetade med domkyrkorna i Lund och i Köln.

29

Facing page: the spire of St Maria's Church rises above colourful houses lining Little Vaster Street in the beautiful medieval city of Ystad. The church dates from around 1200 and was begun as a basilica in the Romanesque style. Right: a statue in the pleasant grounds of the crenallated, flat-fronted Svaneholm Castle, in southern Skåne, and (above) 16th- and 18th-century buildings on charming Little Square, in Malmö, Sweden's third largest city.

Till vänster: Spiran på St Maria kyrkan reser sig över de färgrika husen längs Lilla Västergatan i den vackra gamla staden Ystad. Kyrkan byggdes som en basilika kyrka i den romanska stilen på 1200-talet. Till höger: en staty i de trevliga omgivningarna av Svaneholms slott i södra Skåne, med sin med tinnar försedda raka framsida. Ovan: 1500 och 1700-tals hus på det charmiga Lilla Torg i Malmö, Sveriges tredje största stad.

Previous pages: (centre) the coast of Kåseberga, and (top and bottom) farms and farmland near Anderslöv. Above left: an elegant facade on Västra Storgatan, one of many attractive streets in the 17th-century fortified city of Kristianstad, and (left) a leafy park by the famous cathedral in the university city of Lund. Begun around 1080, this is the oldest and most impressive Romanesque church in Sweden and contains a remarkable, 14th-century astronomical clock (above). Facing page: examples of the variety of architecture in the charming old city of Ängleholm, Skåne.

Förra uppslaget: (mitten) kusten vid Kåseberga och (överst och nederst) gårdar och jordbrukslandskap nära Anderslöv. Ovan till vänster: en elegant husfasad på Västra Storgatan, en av många eleganta gator i militärstaden Kristianstad som är från 1600-talet. Vänster: den lummiga parken vid den berömda domkyrkan i universitetsstaden Lund. Kyrkan påbörjades omkring år 1080 och detta är den äldsta och mest imponerande kyrkan i romansk stil i Sverige och där finns också ett fantastiskt astonomiskt ur från 1300-talet. Till höger: exempel på den varierande arkitekturen i den charmiga gamla staden Ängelholm i Skåne.

Facing page bottom: the coast near Landskrona (remaining pictures), a busy port town with an array of fascinating buildings including (top right) the old and (right) the new water towers.

Nederst till höger: kusten nära Landskrona (övriga bilder), en livlig hamnstad många imponerande och fascinerande hus inklusive (överst till höger) det gamla och (till höger) det nya vattentornet.

Previous pages: Stortorget, the long
market square, (above) the neo-Gothic
Town Hall and (right) public gardens, all
in Helsingborg. For centuries this was
one of Europe's most important cities
and, together with Elsinore, lying just
across the Öresund, controlled all
shipping traffic into and out of the
Baltic. Facing page: Malmö, the capital
of the province of Skåne, picturing (top)
the port office and (bottom and
overleaf) Great Square and the
equestrian statue of Charles X.

Föregående uppslag: Stortorget, det
avlånga marknadstorget i Helsingborg,
(ovan) det i neo-gotisk stil byggda
stadhuset och (till höger) en park i
Helsingborg. I århundranden var detta
en av Europas viktigaste städer som
tillsammans med Helsingör på andra
sidan av Öresund kontrollerade all trafik
till och från Östersjön. Till vänster:
Maimö, huvudorten i Skåne, med bilder
från hamnkontoret (överst) och
(nederst och nästa uppslag) Stortorget
med ryttarstatyn av Karl X.

Above: a typical Swedish windmill in the province of
Västergötland, a land of lakes and historic sights such as the
splendid Renaissance castle of Läckö (right). Begun in 1298 as
the home of the bishop of Skara, most of the present building was
built by the son of the 17th-century count, De la Gardie. Top:
chalets at nearby Ulrichamn.

Ovan: en typiskt svensk väderkvarn i Västergötland, ett landskap
med många sjöar och historiska platser som det ståtliga renässans-
slottet Läckö (till hoger). Det började byggas år 1298 som bostad
åt biskopen i Skara men större delen av den nuvarande
byggnaden byggdes av 1600-tals greven Magnus Gabriel De la
Gardie. Överst: sommarstugor i trakten av Ulricehamn.

Previous pages: the Ship Museum at Lilla Bommen Docks, in the city of Gothenburg (these pages). Top: the Palm House in Garden Society Park, (above) the Old Town, and (facing page top) Klippan's Landing.

Föregående uppslag: Skeppsmuseet vid Lilla Bommen i staden Göteborg (detta uppslag). Överst: Palmhuset i Trädgårdsföreningen, (ovan) Gamla Stan, (överst nästa sida) Klippans Kulturreservat.

Previous pages: (left) Carl Milles' "Poseidon", in Göta Square, and (right) the Magistrates' Court and statue of King Gustav II in Gustav Adolfs Square, in Gothenburg. Facing page: Dragsmark Harbour, Näset, on the windswept coast of Bohuslän province, and (above) Rottneros Hall, a fine neo-classical mansion in Värmland. Midsummer at lovely Lake Siljan, in the province of Dalarna, is a festive period when Sunday churchgoers make a ceremonious boat trip (right) to Rättvik Church.

Föregående uppslag: (vänster) Carl Milles staty "Poseidon" på Götaplatsen och (till höger) Rådhuset och statyn av kung Gustav II Adolf på Gustav Adolfs Torg i Göteborg. Vänster sida: Hamnen i Dragsmark vid Näset på den vindpinade kusten i Bohslän, (ovan) Rottneros Gård, en vacker herrgård byggd i neo-klassisk stil i Värmland. Midsommar vid den vackra sjön Siljan i landskapet Dalarna, firas högtidligt med den traditionella kyrkrodden (höger) till Rättviks kyrka.

Facing page: the 12th-13th-century church at
the resort of Åre, and (above) a typical colour-
washed, frame house at Mörsil, both in
Jämtland. Situated in central Sweden on the
Norwegian border, this large, mountainous
province, with its 3000 lakes and lush meadows,
is one of Europe's last, and most attractive,
wilderness areas. The horse-drawn sled (right) is
a familiar sight in Jokkmokk, a major settlement in
the country's most northerly region, Lappland.

Till vänster: 1200-tals kyrkan vid vintersportorten
Åre, och (ovan) ett typiskt målat trähus i Mörsil,
bägge i Jämtland. Beläget mitt i Sverige vid den
norska gränsen, är detta med sina 3000 sjöar
och frodiga ängar, en av Europas sista och mest
attraktiva vildmarker. Slädar som dras av hästar
(höger) är ett vanligt inslag i Jokkmokk, en viktig
tätort i landets nordligaste landskap Lappland.

Previous pages: (left) the ornate Lutheran church at Jokkmokk, Lappland, and (right) the fine, Renaissance-style castle in the city of Örebro, in Närke province. Above: skiing the easy way at the popular resort of Åreskutan, near Åre, and (left) the elegant, 19th-century, wooden church at Duved, in Jämtland. Facing page: gentle slopes in the pine and spruce woods near Karlstad, in Värmland.

Föregående uppslag: (vänster) den rikt utsmyckade kyrkan i luthersk stil i Jokmokk, Lappland, och (höger) det vackra renässans slottet i Örebro i landskapet Närke. Ovan: Tolkning efter snövessla vid den populära vinterskidorten Åreskutan nära Åre, och (vänster) den eleganta 1800-tals kyrkan i Duved i Jämtland. Till höger: Mjuka backar i gran- och tallskogarna nära Karlstad i Värmland.

Previous pages: the Kultsjön waterway (left bottom) is one of many that provide water for power stations such as Stekenjokk, pylons from which (right) cross miles of wild terrain. Left top: a waterfall in Abisko National Park. During the winter, reindeer (these pages) graze in forests, such as the pinewoods of Kvikkjokk (left), leaving in summer for the higher tundra (above). Overleaf: a Lapp family in traditional costume at Kebnekaise, in Lappland.

Föregående sidor: Sjösystemet Kultsjön (nederst till vänster) är ett av många som förser kraftstationer som Stekenjokk med energi från vilket kraftledningarna (till höger) går genom mil av oländig terräng. Överst till vänster: ett vattenfall i Abisko nationalpark. Under vintern betar renar (detta uppslag) i skogarna, som denna vid Kvikkjokk (till vänster) för att lämna dem under sommaren för den högre belägna tundran (ovan). Nästa sida: en i traditionell lappdräkt klädd samefamilj vid Kebnekaise i Lappland.